D1161825

Pour Sébastien P. et les joyeux écoliers
de Poilly-lez-Gien.
F. J.

Pour Jeanne et Charles.
M. B.

ISBN 978-2-244-42728-7

Fanny Joly

Illustrations de Marianne Barcilon

La fée Baguette

fait du ski

Editions Lito

Voilà déjà une semaine que le Père Noël est passé,
et Félicité ne se lasse pas de ses cadeaux.
Maman entre dans sa chambre.
– Félicité, viens essayer l'anorak et les après-skis
que te prête ta cousine Julie !
La fillette tord le nez.
– Ben pourquoi ?
– Pour ta classe de neige, voyons : tu pars ce soir !
– Oh nooon ! Je préfère rester ici avec Framboise et mes jouets !
Maman fronce les sourcils.
– Cesse de faire l'enfant gâtée !
Félicité n'est pas contente. Elle voudrait annuler cette classe
de neige d'un coup de baguette magique, mais aucune baguette
ne clignote dans le fournil♥.

♥ *Les parents de Félicité sont boulangers. Elle a des pouvoirs de fée,
mais seulement quand elle croque dans une baguette de pain qui clignote.*

SCOUBIDOU

C'est l'heure de partir à la gare pour prendre le train de nuit.
Sur le quai, madame Lagomme accueille les enfants, coiffée d'un bonnet à pompon. Les copains de la classe sautent de joie.
– J'veux-heu pas-ha y al-hal-ler-hé ! pleurniche Félicité.
Du coup, la maîtresse prend la fillette dans son compartiment-couchettes, ainsi que Zoé et Timothée, son chouchou.
Résultat ? Pire que tout !
Madame Lagomme ronfle, Zoé a envie de vomir,
et Tim sent des pieds…

Ouf : enfin arrivés !

Fou : la montagne est jaune et pelée.

Le directeur, en chemisette, rigole :

– Bienvenue au chalet Les Marmottes !

Madame Lagomme, elle, ne rigole pas.

Après le petit déjeuner, elle annonce :

– Puisqu'il n'y a pas de neige,

nous allons faire classe toute la journée !

Les enfants sont catastrophés.

« Au secours ! SOS MAGIE ! » pense très fort Félicité.

Les Marmottes

Félicité rêvasse pendant le cours de grammaire, quand, tout à coup,
par la fenêtre, elle aperçoit un boulanger en train de livrer des baguettes.
Dans un panier, ça CLIGNOTE !
– J'peux... j'peux... heu... aller aux toilettes ? demande la fillette.
– On lève le doigt avant de parler ! répond la maîtresse.
Félicité se tortille.
– C'est très, très, très, très PRESSÉ !
– D'accord, vas-y, soupire madame Lagomme.
Félicité se précipite dehors.
– M'sieur, vous me donnez cette baguette, celle-ci, là, celle qui...
qui est moins cuite. C'est pour... ma mémé, qui n'a plus de dents !
Le boulanger cède en rigolant.
– Ta mémé n'a peut-être plus de dents, mais toi, tu as un sacré culot !
Dès que la camionnette repart, la petite fée croque le croûton.

– ***Cric crac croc, je craque et je croque :***
croûton, fais qu'il neige, par pitié !

L’effet magique n’arrive pas tout de suite.

Dans son lit superposé, Félicité s’inquiète.

Minuit sonne. Un premier flocon tombe.

Puis des centaines. Puis des millions.

– Croûton, t’es un champion ! murmure la petite fée.

Le lendemain matin, quelle merveille !

Un manteau blanc recouvre tout et, en plus, il y a du soleil.

Les enfants font de la luge, des bonshommes de neige

et une bataille de boules de neige !

– Pas de classe aujourd'hui ! Ski non-stop ! lance Félicité.

– Ski non-stop ! Ski non-stop ! reprennent ses amis en chœur.

Madame Lagomme semble hésiter…

Félicité croque un coin de croûton.

– ***Cric crac croc, je craque et je croque :***

croûton, alleeeez, ski non-stop !

La maîtresse sourit.

– Vous avez raison, les enfants, il faut en profiter !

Les élèves font la queue au tire-fesses. Félicité n'est pas rassurée.

– Ça va nous arracher les fesses ou quoi ? glisse-t-elle à l'oreille de Paulo.

– T'as les chocottes, Félichocottes ? pouffe son garçon préféré.

– Pas du tout ! ment la petite fée.

Elle se détourne et croque son croûton.

– ***Cric crac croc, j'ai pas les chocottes !***

Et hop ! Félicité passe devant Paulo pour un démarrage rodéo no problémo.

En haut de la piste, Rodrigo les attend. C'est le moniteur de ski.
Il est beau comme un héros. Toutes les filles tombent amoureuses de lui.
– Nous allons apprendre le chasse-neige, explique-t-il. Pliez les genoux, écartez les skis, contrôlez votre vitesse !
Félicité ne contrôle rien du tout. Elle s'emmêle les spatules, roule-boule et embrasse un sapin.
– Hééé, tu vas où ? Reste avec nous ! crie Rodrigo.

Cachée derrière le sapin, Félicité croque sa baguette magique (elle a pensé à l'emporter ; pas folle, la petite fée).

– ***Cric crac croc, je craque et je croque : croûton, je veux skier comme une fusée !***

Aussitôt, elle se redresse et s'élance à toute vitesse : tout schuss ! Dérapages de folie ! Gerbes de neige ! Virages acrobatiques ! Tremplin olympique ! Saut supersonique !

Rodrigo en reste bouche bée.

– Il faut que tu passes ta FLÈCHE D'OR illico !

Félicité n'a plus qu'un petit bout de croûton magique.

Pas question de gaspiller ses pouvoirs féeriques.

– C'est gentil, mais… je préfère passer ma première étoile avec mes amis ! répond la fillette, l'air modeste.

Le jour de l'épreuve arrive…

Sous leurs dossards, les enfants ont le trac.

Zoé claque des dents.

Amandine tremblote.

Paulo lui-même ne fait pas le malin.

– Soyez tranquilles, ça va marcher ! les rassure Félicité.

Elle croque son dernier bout de croûton et chantonne :

– ***Cric crac croc, je craque et je croque :***
croûton, que tous les copains décrochent leur étoile…

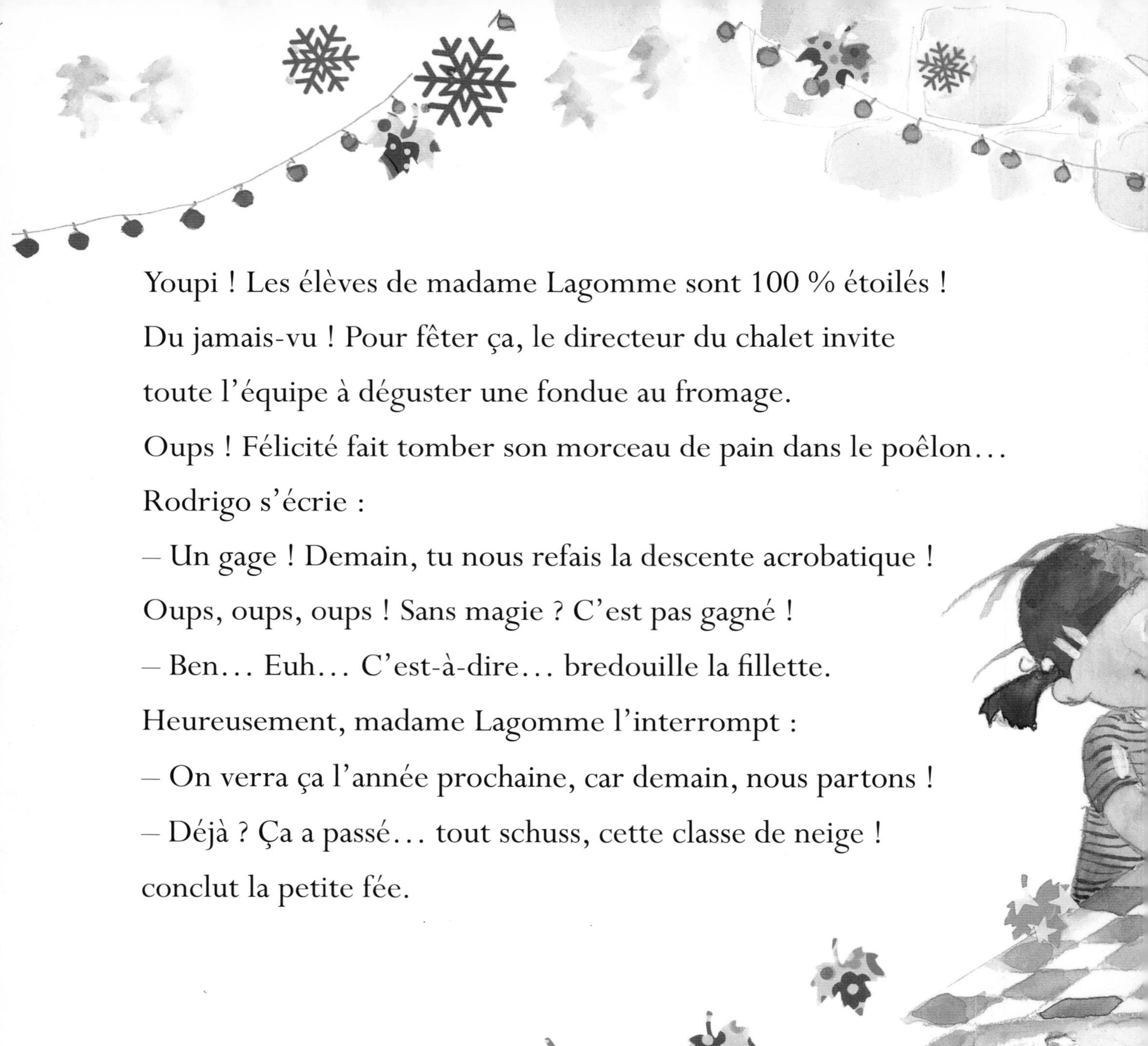

Youpi ! Les élèves de madame Lagomme sont 100 % étoilés !
Du jamais-vu ! Pour fêter ça, le directeur du chalet invite
toute l'équipe à déguster une fondue au fromage.
Oups ! Félicité fait tomber son morceau de pain dans le poêlon…
Rodrigo s'écrie :
– Un gage ! Demain, tu nous refais la descente acrobatique !
Oups, oups, oups ! Sans magie ? C'est pas gagné !
– Ben… Euh… C'est-à-dire… bredouille la fillette.
Heureusement, madame Lagomme l'interrompt :
– On verra ça l'année prochaine, car demain, nous partons !
– Déjà ? Ça a passé… tout schuss, cette classe de neige !
conclut la petite fée.

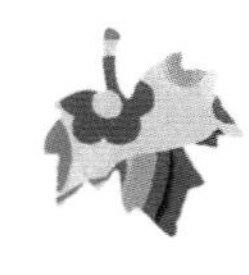

A la bonn
fondu